DEDICATED TO ALL
CHILDREN AND CRITTERS WITH A DREAM.

**DÉDIÉ À TOUS LES ENFANTS ET LES PETITES
CRÉATURES QUI ONT UN RÊVE.**

THIS BOOK BELONGS TO:
CE LIVRE APPARTIENT À :

Off the coast of Vancouver Island, Miga and her sea bear family live in the chilly waters of the Pacific Ocean. Sea bears are orca whales that have the special ability to turn into bears and come onto land. Miga is the youngest in her pod. The first time she tried to transform into a bear, she became stuck… Now parts of her are orca, and parts of her are Kermode bear!

Au large de la côte de l'île de Vancouver, Miga et sa famille ours de mer vivent dans les eaux froides de l'océan Pacifique. Les ours de mer sont des épaulards qui ont comme pouvoir spécial de se transformer en ours et de se déplacer sur la terre. Miga est la plus jeune de son groupe. La première fois qu'elle a tenté de se transformer, elle est restée coincée... Aujourd'hui, elle est en partie épaulard et en partie ours Kermode!

Miga loves to surf, but during the wintertime the waves get too big for a young sea bear. One day, Miga decided she would travel to Vancouver, the big city by the coast, to see if she could find some other sports to try.

Miga adore faire du surf, mais pendant l'hiver les vagues sont beaucoup trop grosses pour une jeune ourse de mer. Un jour, Miga décide de se rendre à Vancouver, la grande ville de la côte, pour voir si elle peut trouver d'autres sports à pratiquer.

Miga was happily exploring the large city park by the water when she was suddenly blinded by a great FLASH!

Miga explore joyeusement le grand parc urbain sur le bord de l'eau, quand elle est soudain aveuglée par un grand ÉCLAT DE LUMIÈRE!

Miga

Quatchi

Rubbing her eyes, Miga found a giant furry creature standing in front of her. Cheerfully, she introduced herself. The creature replied with a timid smile. Quatchi had a camera around his neck. Shyly, he began sharing photos he had taken of his adventures across Canada.

Après s'être frotté les yeux, Miga aperçoit une créature poilue géante devant elle. Miga se présente joyeusement. La créature lui répond avec un sourire timide. Un appareil photo est suspendu au cou de Quatchi. Il commence timidement à partager les photos qu'il a prises de ses aventures à travers le Canada.

Then, the sasquatch pulled out a guidebook from his backpack, holding it up for Miga to see. There's a grand event coming to Canada…with exciting winter sports, including skiing, speed skating and…

Le sasquatch sort ensuite un guide de son sac à dos et le montre à Miga. Un grand événement s'en vient au Canada... avec des sports d'hiver emballants, comme du ski, du patinage de vitesse et du...

HOCKEY!

Quatchi blushed as he explained to Miga that his big dream was to become a great goalie and play on a team. At the Olympic Games, he hoped to meet and trade jerseys with the world's best hockey players.

Quatchi rougit en expliquant à Miga que son grand rêve est de devenir un grand gardien de but et de jouer dans une équipe de hockey. Aux Jeux olympiques, il espère rencontrer les meilleurs joueurs de hockey au monde et peut-être même échanger des chandails avec eux.

As Miga excitedly looked through Quatchi's book, she noticed that snowboarding looked just like surfing – but on snow! Together, the two new friends decided they would visit all the different locations where the athletes would compete. They wanted to see for themselves how and where the athletes trained, and to try the 2010 Winter Games sports.

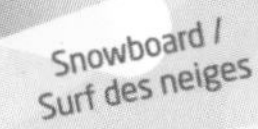

Pendant que Miga regarde le livre de Quatchi avec enthousiasme, elle remarque que le surf des neiges ressemble au surf qu'elle pratique, mais sur la neige! Ensemble, les deux nouveaux amis décident de visiter les différents endroits où s'affronteront les athlètes. Ils souhaitent voir d'eux-mêmes comment et où les athlètes s'entraîneront et essayer de pratiquer les sports des Jeux d'hiver de 2010.

VANCOUVER
#1

west vancouver

RICHMOND

WHISTLER

As Miga and Quatchi reached Whistler, a curious creature swooped down in front of them. It had fins on its hat like an orca whale, broad handsome wings like a thunderbird and strong furry legs like a bear. Sumi introduced himself as a guardian spirit. A spirit who watched over the air, the land and waters of the Coast Mountains.

Quand Miga et Quatchi arrivent à Whistler, une curieuse créature descend rapidement devant eux. Elle a des nageoires sur son chapeau, comme un épaulard, des grandes ailes superbes, comme celles de l'Oiseau-Tonnerre, et de fortes pattes poilues qui ressemblent à celles d'un ours. Sumi se présente comme esprit gardien. Un esprit qui protège l'air, la terre et les eaux des montagnes de la côte Ouest.

Sumi was especially excited about the Paralympic Games. He greatly admired the inner strength and skill of the Paralympic athletes. He also looked forward to sharing his beautiful home with the world. With great enthusiasm, he decided to take Miga and Quatchi on a tour.

Sumi est surtout emballé par les Jeux paralympiques. Il admire beaucoup la force intérieure et les habiletés des athlètes paralympiques. Il a aussi hâte de partager son merveilleux domicile avec le monde. Avec grand enthousiasme, il décide de servir de guide à Miga et Quatchi, le temps d'une visite.

Miga, Quatchi and Sumi were enjoying hot cocoa outside when, suddenly, a funny little marmot ran up to them with an envelope. An invitation!

Miga, Quatchi et Sumi sont dehors à déguster du chocolat chaud quand une drôle de petite marmotte s'approche et leur tend une enveloppe. C'est une invitation!

The event was starting soon. They were going to be late! Sumi stretched his wings wide and began to grow larger and larger, until he became the size of a great thunderbird. He motioned for Quatchi and Miga to quickly climb onto his back. And with a flash of feathers they flew…high into the sky.

L'événement débute bientôt. Pas question d'être en retard! Sumi étend ses ailes et se met à grandir, jusqu'à ce qu'il atteigne la taille de l'Oiseau-Tonnerre. Il fait signe à Quatchi et Miga de monter rapidement sur son dos. Et dans un éclair de plumes, ils s'envolent... bien haut dans le ciel.

As the wind carried them down towards Vancouver, the three friends passed glistening glaciers, tall trees and the whitecapped waters of Howe Sound. They waved `hello´ to playful pikas, friendly deer and silly seals.

Tandis que le vent les transporte vers Vancouver, les trois amis survolent des glaciers étincelants, de grands arbres et les eaux à calotte blanche de la baie Howe. Et en passant, ils saluent des picas coquins, de gentils cerfs et des phoques espiègles.

The glass buildings of Vancouver shimmered with light
as Sumi flew down in a great arc towards the city.

Les immeubles de verre de Vancouver brillent de lumière
tandis que Sumi descend en faisant un grand arc vers la ville.

As they entered the event, large spotlights focused on the trio and a voice loudly announced over the speakers:

À leur entrée, de grands projecteurs éclairent le trio et une voix annonce très fort au haut-parleur :

VANCOUVER 2010 PROUDLY PRESENTS OUR OLYMPIC AND PARALYMPIC MASCOTS!!!

VANCOUVER 2010 PRÉSENTE FIÈREMENT SES MASCOTTES OLYMPIQUES ET PARALYMPIQUE!!!

Miga, Quatchi and Sumi laughed in surprise as the crowd cheered loudly. They can't wait to travel across Canada and spread the spirit of the Games!

Miga, Quatchi et Sumi rient de surprise, tandis que la foule éclate en applaudissements. Ils sont impatients de répandre l'esprit des Jeux au Canada!

MASCOT PROFILE

Miga is a young sea bear who lives in the ocean with her family pod, beyond Vancouver Island, near Tofino, British Columbia. Sea bears are part killer whale and part bear. (Miga is part Kermode bear, a rare white bear that only lives in British Columbia.)

All summer long, Miga rides waves with local surfers. But during the winter months, she often sneaks onto the shores of Vancouver to seek adventure. When Miga discovered that humans were `surfing´ on snow, up in the mountains, she knew she had to join the fun. Snowboarding soon became her favourite winter sport. Her dream is to land a corked 720 in the half-pipe one day…It will take lots of practice, and a few falls along the way, but she's sure she can do it.

The sea bear is inspired by the legends of the Pacific Northwest First Nations, tales of orca whales that transform into bears when they arrive on land. The Kermode bear is a rare white or cream-coloured sub-species of the black bear that is unique to the central West Coast of British Columbia. According to First Nations' legend, Kermode bears – also known as Spirit Bears – were turned white by Raven to remind people of the Ice Age. Orcas are also honoured in the art and stories of West Coast First Nations, as travellers and guardians of the sea.

Miga

VANCOUVER 2010 OLYMPIC MASCOT
MASCOTTE OLYMPIQUE DE VANCOUVER 2010

HOME: Off the coast of Vancouver Island
HOBBIES: Surfing, snowboarding, anything fun and exciting!
FAVOURITE FOOD: Wild salmon (salmon jerky, BC Roll, smoked salmon)
DREAM: To land a corked 720 in the half-pipe
FAVOURITE COLOUR: Forest green

DOMICILE : Au large de la côte de l'île de Vancouver
PASSE-TEMPS : Surf, surf des neiges, tout ce qu'il y a d'amusant et d'emballant!
NOURRITURE PRÉFÉRÉE : Saumon sauvage (jerky de saumon, rouleau C.-B., saumon fumé)
RÊVE : Réussir un saut désaxé « cork 720 degrés » sur la demi-lune
COULEUR PRÉFÉRÉE : Vert forêt

PROFIL DE LA MASCOTTE

Miga est une jeune ourse de mer qui vit dans l'océan avec sa famille, au large de l'île de Vancouver, près de Tofino, en Colombie-Britannique. Les ours de mer sont en partie épaulard et en partie ours. (Miga est en partie ours Kermode, un ours blanc rare qui ne vit qu'en Colombie-Britannique.)

Pendant tout l'été, Miga se laisse porter par les vagues, avec les surfistes locaux. Mais pendant l'hiver, elle se faufile jusqu'aux rives de Vancouver, à la recherche d'aventure. Quand Miga a découvert que les humains faisaient du « surf » sur la neige, dans les montagnes, elle a tout de suite su qu'il fallait qu'elle prenne part au plaisir. Le surf des neiges est vite devenu son sport d'hiver préféré. Son rêve est de faire un jour un saut désaxé « cork 720 degrés » sur la demi-lune... Elle devra s'exercer beaucoup, et tomber beaucoup aussi, mais elle est certaine d'y arriver un jour.

L'ours de mer est inspiré des légendes des Premières nations du Nord-Ouest du Pacifique, des légendes d'épaulards qui se transforment en ours lorsqu'ils arrivent sur la terre. L'ours Kermode est une sous-espèce rare de couleur blanche ou crème de l'ours noir et unique à la côte centrale Ouest de la Colombie-Britannique. Selon la légende des Premières nations, les ours Kermode – aussi appelés ours esprits – ont été transformés par Corbeau pour rappeler aux gens la période de glace. Les épaulards sont également honorés dans l'art et les légendes des Premières nations de la côte Ouest, comme voyageurs et gardiens de la mer.

MASCOT PROFILE

Quatchi is a young sasquatch who comes from the mysterious forests of Canada. Quatchi is shy, but loves to explore new places and meet new friends.

Although Quatchi loves all winter sports, he's especially fond of hockey. He dreams of becoming a world-famous goalie. Because of his large size, he can be a little clumsy. But no one can question his passion. He knows that if he works hard and always does his best, he might one day achieve his dream. Quatchi is always encouraging his friends to join him on journeys across Canada. He is also often recruiting others to play hockey – or at least to take shots at him!

The sasquatch is a popular figure in local native legends of the Pacific West Coast. The sasquatch reminds us of the mystery and wonder that exist in the natural world, igniting our imagination about the possibility of undiscovered creatures in the great Canadian wilderness.

PROFIL DE LA MASCOTTE

Quatchi est un jeune sasquatch qui vient des forêts mystérieuses du Canada. Quatchi est timide, mais il adore explorer de nouveaux endroits et rencontrer de nouveaux amis.

Même si Quatchi aime tous les sports d'hiver, il aime surtout le hockey. Il rêve de devenir un gardien de but célèbre de par le monde. En raison de sa grande taille, il est parfois maladroit. Mais personne ne peut remettre en question sa passion. Il sait que s'il travaille fort et qu'il fait toujours de son mieux, il réalisera peut-être un jour son rêve. Quatchi encourage toujours ses amis à se joindre à lui pour des voyages à travers le Canada. On le voit souvent recruter des joueurs pour jouer au hockey – ou au moins tenter de marquer un but contre lui!

Le sasquatch est un personnage populaire des légendes autochtones locales de la côte Ouest du Pacifique. Le sasquatch nous rappelle le mystère et les merveilles qui existent dans le monde naturel et qui allument notre imagination au sujet de la possibilité de créatures non découvertes dans la grande nature sauvage canadienne.

QUATCHI

VANCOUVER 2010 OLYMPIC MASCOT
MASCOTTE OLYMPIQUE DE VANCOUVER 2010

HOME: Canada's mysterious forests
HOBBIES: Hockey, photography, travel
FAVOURITE FOOD: Loves to try all kinds!
DREAM: To become a world-famous goalie
FAVOURITE COLOUR: Chill blue

DOMICILE : Les forêts mystérieuses du Canada
PASSE-TEMPS : Hockey, photographie, voyages
NOURRITURE PRÉFÉRÉE : Adore tout essayer!
RÊVE : Devenir gardien de but célèbre de par le monde
COULEUR PRÉFÉRÉE : Bleu frisson

MASCOT PROFILE

Sumi is an animal spirit who lives in the mountains of British Columbia. Like many Canadians, Sumi's background is drawn from many places. He wears the hat of the orca whale, flies with the wings of the mighty thunderbird and runs on the strong furry legs of the black bear.

Sumi's name comes from the Salish word `Sumesh´ which means `guardian spirit´. Sumi takes his role very seriously. He works hard to protect the land, water and creatures of his homeland.

Sumi is a great fan of the Paralympic Games. He's determined to learn all the sports, so he can play and race with his animal friends all winter long.

Transformation is a common theme in the art and legend of West Coast First Nations. Transformation represents the connection and kinship between the human, animal and spirit worlds. Revered animals, such as the orca whale, the bear and the thunderbird, are depicted in transformation through masks, totems and other forms of art. The orca is the traveller and guardian of the sea. The bear often represents strength and friendship. And the thunderbird – which creates thunder by flapping its wings – is one of the most powerful of the legendary creatures.

PROFIL DE LA MASCOTTE

Sumi est un esprit animal qui vit dans les montagnes de la Colombie-Britannique. Comme beaucoup de Canadiens, les antécédents de Sumi sont nombreux. Il porte le chapeau de l'épaulard, vole avec les ailes du grand Oiseau-Tonnerre et court sur les pattes poilues de l'ours noir.

Le nom de Sumi provient du mot Salish « Sumesh » qui signifie « esprit gardien ». Sumi prend son rôle très au sérieux. Il travaille fort pour protéger la terre, l'eau et les créatures de sa patrie.

Sumi est un grand fervent des Jeux paralympiques. Il est déterminé à apprendre tous les sports afin de pouvoir jouer et faire des compétitions avec ses amis animaux pendant tout l'hiver.

La transformation est un thème populaire de l'art et des légendes des Premières nations de la côte Ouest. La transformation représente le rapport et le lien de parenté qui existent entre les mondes humain, animal et spirituel. Les animaux vénérés, comme l'épaulard, l'ours et l'Oiseau-Tonnerre, sont représentés en transformation par des masques, des totems et d'autres formes d'art. L'épaulard est le voyageur et le gardien de la mer. L'ours représente souvent la force et l'amitié. Et l'Oiseau-Tonnerre – qui crée le tonnerre en battant des ailes – est une des créatures légendaires les plus puissantes.

SUMI

VANCOUVER 2010 PARALYMPIC MASCOT
MASCOTTE PARALYMPIQUE DE VANCOUVER 2010

HOME: Whistler
HOBBIES: Alpine skiing, flying over the Coast Mountains
FAVOURITE FOOD: Hot cocoa
DREAM: To share his forest and mountain home with the world
FAVOURITE COLOUR: Fern green

DOMICILE : Whistler
PASSE-TEMPS : Ski alpin, voler au-dessus des montagnes de la chaîne Côtière
NOURRITURE PRÉFÉRÉE : Chocolat chaud
RÊVE : Partager avec le monde la forêt et les montagnes qui sont son domicile
COULEUR PRÉFÉRÉE : Vert fougère

sidekick profile

Mukmuk is a small and friendly Vancouver Island marmot who always supports and cheers loudly for his friends during games and races. When he is not hibernating or sunbathing on rocks and logs, he enjoys getting out to meet other types of marmots and animals. In fact, this is how he became friends with the Vancouver 2010 Olympic and Paralympic mascots.

Mukmuk gets his name from the word `muckamuck,' Chinook jargon for `food,' because he loves to eat! (Interestingly, Chinook jargon was a First Nations trading language.) He's passionate about the many different types of food found in British Columbia, and is particularly fond of berries and mountain flowers.

The Vancouver Island marmot is an extremely rare and endangered species unique to the mountains of Vancouver Island.

profil du petit compagnon

Mukmuk est une petite marmotte amicale de l'île de Vancouver qui appuie et encourage toujours ses amis pendant leurs parties et leurs courses. Quand Mukmuk n'hiberne pas ou qu'il ne se fait pas dorer au soleil sur des roches et des troncs d'arbre, il aime sortir pour rencontrer d'autres types de marmottes et d'animaux. En fait, c'est comme ça qu'il est devenu ami avec les mascottes olympiques et paralympique de Vancouver 2010.

Mukmuk s'appelle ainsi parce que le mot « muckamuck », en jargon chinook, signifie nourriture et qu'il adore manger! (Fait intéressant, le jargon chinook était une langue de commerce pour les Premières nations.) Il adore tous les différents types de nourriture que l'on retrouve en Colombie-Britannique, surtout les petites baies et les fleurs de montagne.

La marmotte de l'île de Vancouver est une espèce extrêmement rare et en voie de disparition, unique aux montagnes de l'île de Vancouver.

MUKMUK

sidekick to the vancouver 2010 mascots
petit compagnon des mascottes de vancouver 2010

HOME: Vancouver Island sub-alpine meadows
HOBBIES: Eating, burrowing, eating, making friends, eating
FAVOURITE FOOD: Flowers, fern, berries
DREAM: To tell the world about his fellow island marmots
FAVOURITE COLOUR: Berry orange

DOMICILE : Les prairies subalpines de l'île de Vancouver
PASSE-TEMPS : Manger, creuser le sol, manger, se faire des amis, manger
NOURRITURE PRÉFÉRÉE : Les fleurs, les fougères et les petites baies
RÊVE : Faire connaître ses camarades marmottes de l'île, partout dans le monde
COULEUR PRÉFÉRÉE : Orange-baie

WINTER GAMES SPORTS

LES SPORTS DES JEUX D'HIVER

Alpine Skiing **Ski alpin**

Alpine Skiing (Paralympic) **Ski alpin (paralympique)**

Biathlon **Biathlon**

Biathlon (Paralympic) **Biathlon (paralympique)**

Bobsleigh **Bobsleigh**

Cross-Country Skiing **Ski de fond**

Cross-Country Skiing (Paralympic) **Ski de fond (paralympique)**

Curling **Curling**

Figure Skating **Patinage artistique**

Freestyle Skiing **Ski acrobatique**

Ice Hockey Hockey sur glace

Ice Sledge Hockey Hockey sur luge

Luge Luge

Nordic Combined Combiné nordique

Short Track Speed Skating Patinage de vitesse sur piste courte

Skeleton Skeleton

Ski Jumping Saut à ski

Snowboard Surf des neiges

Speed Skating Patinage de vitesse

Wheelchair Curling Curling en fauteuil roulant

about the olympic games

Every four years, the world gathers in the spirit of friendship for the Olympic Winter Games. The first Olympic Games began hundreds of years ago in Olympia, Greece. Although the Games have grown and changed greatly since their ancient origins, they continue to bring together the world's athletes, artists and spectators for exciting competition and creative events.

The Olympic Games encourage us all to be the best we can be. Athletes train their entire lives to compete at the Olympic Games – some are lucky enough to win medals. All Olympians show us that trying hard, playing fairly and having fun are just as important.

Along with sports, there are many fun cultural activities at the Olympic Winter Games. Dancers perform in beautiful costumes. Musicians sing their favourite songs in places all around the city.

At the Games, we learn about people from many different countries and we learn about things we can do to take care of our planet. Most of all, the Games remind us that if you believe in your dreams, you can make them come true.

"As an Olympian, it is an honour to represent my country in an event that brings the world together to celebrate sport. Some of the values of the Olympic Games, including fair play and the pursuit of excellence, are displayed to the world, and can hopefully inspire the young and old alike."
– Two-time Canadian Olympian Cindy Klassen, winner of a total of six medals (speed skating) at two Olympic Winter Games (Salt Lake City 2002, Torino 2006).

au sujet des jeux olympiques

Tous les quatre ans, le monde se rassemble dans l'esprit de l'amitié pour les Jeux olympiques d'hiver. Les premiers Jeux olympiques ont eu lieu il y a des centaines d'année, à Olympie, en Grèce. Même si les Jeux ont pris beaucoup d'ampleur et ont beaucoup changé depuis leur origine ancienne, ils continuent de rassembler les athlètes, les artistes et les spectateurs du monde pour des épreuves de compétition et des événements créateurs emballants.

Les Jeux olympiques nous encouragent tous à être à notre meilleur. Les athlètes s'entraînent toute leur vie pour participer aux Jeux olympiques – certains sont même assez chanceux pour remporter des médailles. Tous les athlètes olympiques nous montrent que travailler fort, jouer de façon juste et s'amuser sont tout aussi importants.

En plus des sports, les Jeux olympiques d'hiver comprennent beaucoup d'activités culturelles amusantes. Les danseurs dansent dans de merveilleux costumes. Les musiciens chantent leurs chansons favorites à des endroits partout en ville.

Aux Jeux, nous apprenons au sujet de gens de beaucoup de pays différents et de choses que nous pouvons faire pour prendre soin de notre planète. Par-dessus tout, les Jeux nous rappellent que si nous croyons en nos rêves, nous pouvons les réaliser.

« Comme athlète olympique, c'est un honneur pour moi de représenter mon pays à un événement qui rassemble le monde pour célébrer le sport. Certaines des valeurs des Jeux olympiques, y compris le franc-jeu et la poursuite de l'excellence, sont présentées au monde et peuvent, espérons-le, inspirer les jeunes et les moins jeunes. »
– Cindy Klassen, athlète olympique à deux reprises, gagnante de six médailles (patinage de vitesse) à deux Jeux olympiques d'hiver (Salt Lake City 2002, Torino 2006).

about the paralympic games

Every four years, the world comes together for the Paralympic Winter Games. It's a fun celebration, with exciting sports and cultural activities.

The Paralympic Games began a long time ago. Soldiers who had bad war injuries competed against one another. Today, the Paralympic Games include sports for men and women who have a disability. Some Paralympic athletes cannot see. Others are in wheelchairs because they cannot walk. Some could be missing an arm or a leg. Like all athletes, Paralympic athletes want to be the very best they can be at the sports they play.

The Paralympic Games teach us that sport can, and should, be a part of life for everyone. Paralympic athletes train for hours every day, all year round, to be good enough to compete at the Games. These inspiring athletes show us what we can do, and what we can be, when we try.

"I have always loved competition. I have fun seeing just how far I can push myself and seeing how I stack up against my friends. It can start small like that. But if you dare to dream big, you can achieve anything – even an Olympic or Paralympic medal. It's important to remember that setting goals helps to focus your energy while you pursue your dreams. My number one goal has always been to have fun!"
– Two-time Canadian Paralympian Brian McKeever, winner of a total of six medals (biathlon/cross-country skiing) at two Paralympic Winter Games (Salt Lake City 2002, Torino 2006).

au sujet des jeux paralympiques

Tous les quatre ans, le monde se rassemble pour les Jeux paralympiques d'hiver. Il s'agit d'une célébration amusante remplie d'activités culturelles et de sports emballants.

Les Jeux paralympiques ont commencé il y a longtemps. Ce sont des soldats qui avaient subi des blessures de guerre qui s'affrontaient. Aujourd'hui, les Jeux paralympiques comprennent des sports pour les hommes et pour les femmes qui sont handicapés. Certains athlètes paralympiques ne peuvent pas voir. D'autres sont en fauteuil roulant parce qu'ils ne peuvent pas marcher. À d'autres, il peut manquer un bras ou une jambe. Comme tous les athlètes, les athlètes paralympiques visent à être à leur mieux dans les sports qu'ils pratiquent.

Les Jeux paralympiques nous enseignent que le sport peut, et devrait, faire partie de la vie de tous. Les athlètes paralympiques s'entraînent pendant plusieurs heures tous les jours, pendant toute l'année, pour être assez bons pour participer aux Jeux. Ces athlètes inspirants nous montrent ce que nous pouvons faire et ce que nous pouvons être, quand nous nous efforçons.

« J'aime la compétition depuis toujours. Je m'amuse à voir jusqu'à quel point je peux me pousser et comment je me compare à mes amis. On peut commencer petit, mais si on a l'audace de rêver grand, on peut réaliser n'importe quoi, même une médaille olympique ou paralympique. Il est important de se rappeler que l'établissement d'objectifs aide à concentrer son énergie pendant la poursuite de ses rêves. Mon objectif premier a toujours été de m'amuser! »
– Brian McKeever, athlète paralympique canadien à deux reprises, gagnant de six médailles (biathlon et ski de fond) à deux Jeux paralympiques d'hiver (Salt Lake City 2002, Torino 2006).

SEE YOU AT THE GAMES!

RENDEZ-VOUS AUX JEUX!